GRACE
DE MONACO

GRACE DE MONACO

Texte de Pierre Galante

Légendes avec le concours
de Christophe Buchard

Hachette Gamma *Press*

Le 19 avril 1956 S.A.S. le prince Rainier III épousait Grace Patricia Kelly, star de Hollywood, qui l'année précédente avait obtenu l'oscar de la meilleure interprète pour son film «Une jeune fille de province» («Country girl»).

La longue histoire de la principauté de Monaco s'était enrichie d'un chapitre radieux digne d'un conte de fées.

Le mercredi 4 mai 1955, elle était arrivée rayonnante au Festival de Cannes. La veille, à « Paris-Match », au cours d'une conférence préparatoire sur le Festival, Gaston Bonheur, alors directeur de la rédaction, avait eu l'idée un peu farfelue d'imaginer une rencontre Grace Kelly, star de rêve, et Rainier, prince charmant. Quel joli sujet pour notre magazine! Enthousiasmé par l'idée mais pressé par le temps — Grace Kelly ne devant rester que quatre jours à Cannes — je téléphonai à notre correspondant à Nice, Jean-Paul Ollivier, le priant de se mettre en rapport, de ma part, avec M. Ballerio, secrétaire particulier du prince, afin d'obtenir une audience.

Maintenant que l'idée était lancée, il fallait préparer Grace à accepter une rencontre éventuelle avec le prince. Je comptai sur mon épouse, Olivia de Havilland, pour m'aider à la convaincre.

Dans la soirée du 3 mai, nous allions prendre le Train Bleu pour Cannes. Le quai de la gare de Lyon n'avait point son aspect coutumier et anonyme. Les invités du Festival, vedettes, producteurs, journalistes, scénaristes se retrouvaient sous la sombre verrière, se congratulant, s'interrogeant, se faisant déjà de fausses confidences.

Soudain le bruit des conversations devint murmure. Tout le monde regarda: précédée de porteurs, une superbe créature, vêtue d'un manteau de voyage en cachemire beige, s'avançait. C'était Grace Kelly, la vedette la plus comblée de l'année. Une jeune française que je connaissais de longue date, Gladys de Segonzac, directrice d'une grande maison de couture parisienne, l'accompagnait. Dans la précipitation du départ, Gladys n'eut que le temps de nous présenter à Grace. Son charme réservé, la pureté de ses yeux bleus impressionnèrent Olivia. L'attitude de Grace était tellement opposée au tapage provoquant de certaines stars de Hollywood.

De gauche à droite :
Grace Kelly, Olivia de Havilland, Pierre Galante, M. Lapinère

Une fois le train parti, dans l'intimité d'un compartiment à deux, je confiai le plan de «Paris-Match». «Quelle idée adorable et quel joli mariage cela ferait!» dit Olivia; elle ne pouvait mieux prédire. Mais encore fallait-il réussir. Je savais que le prince était simple, sportif, ne dédaignant pas l'imprévu. Je savais aussi que Rainier III voulait redonner à sa principauté le brillant qui fit à la Belle Époque sa réputation mondiale.

Il fallait aussi préparer Grace, limitée par le temps et ses obligations (elle était présidente de la délégation américaine au Festival), à accepter une invitation éventuelle du prince à visiter le palais.

De façon protocolaire, pouvais-je demander au prince Rainier, qui des trente souverains ayant régné sur Monaco est le plus attaché à ses prérogatives, de recevoir Grace Kelly sans lui accorder au moins un délai de quarante-huit heures pour me répondre? Je devais donc jouer le tout pour le tout et gagner du temps.

Le lendemain, un peu avant 8 heures, Grace, Olivia, Gladys de Segonzac et moi nous nous retrouvâmes dans l'étroit couloir du wagon-lit. Le soleil avait remplacé la grisaille de Paris. Nous avions devant nos yeux la mer bleue et les roches rouges de l'Esterel. Nous approchions de Cannes. Grace avait revêtu un tailleur en tweed bleu ciel, s'était coiffée d'un petit chapeau de même couleur et portait des gants blancs et courts, immaculés. Elle avait renoncé à son chignon de la veille et laissait couler ses cheveux blonds le long de sa nuque. Le soleil et la beauté du paysage aidant, elle était de fort bonne humeur.

Elle posait à Olivia des tas de questions sur le Festival, s'informant du protocole, des obligations mondaines et professionnelles. Elle se comportait comme une "well-trained star", anxieuse de bien faire son métier et pleinement consciente de ses responsabilités.

Quant à moi, je ne pensais qu'à mon projet. Brusquement, profitant d'un instant de silence, je lui demandai: «Aimeriez-vous visiter la principauté de Monaco et son palais pendant votre court séjour?» Je lui expliquai ce qu'était Monaco, un territoire pas plus grand que Central Park à New York. Je lui dis que cet État avait à sa tête un prince charmant, souverain ayant le contrôle de toutes les décisions et commandant la plus petite armée du monde: quatre-vingt-dix hommes placés sous les ordres d'un officier portant le grade de colonel, assisté d'un major, d'un capitaine, d'un sergent-major: la Compagnie des carabiniers du prince de Monaco. L'uniforme — d'opérette — comporte une tunique bleue à parements rouges, pantalon bleu à bandes rouges, casque bleu orné d'un panache de plumes blanches et rouges, ceinturon blanc et gants blancs.

Olivia surenchérit, disant combien elle avait été séduite par ce palais bâti sur un rocher et aussi par l'histoire des Grimaldi, la plus ancienne famille régnante d'Europe.

Grace, fascinée, ouvrait de grands yeux. «Pourquoi pas? répondit-elle enfin. Si je réussis à m'échapper du Festival pour quelques heures...»

A arrivé à l'hôtel Carlton à Cannes, je téléphonai aussitôt à notre correspondant à Nice. La veille, comme je le lui avais demandé, il avait appelé le secrétaire particulier du prince et M. Ballerio avait dit: «Il y a peu de chances car Son Altesse est très occupée avec le Conseil municipal.»

Une heure plus tard, le téléphone sonna dans ma chambre, c'était Jean-Paul Ollivier: «Le Prince, me dit-il, accepte de rencontrer Grace demain dans son palais, à 16 heures. Il consent aussi à ce qu'un photographe de «Paris-Match» prenne des clichés.»

La première partie était gagnée! J'annonçais la nouvelle à Gladys de Segonzac et nous prenions rendez-vous dans le hall de l'hôtel.

A 12 h 10, Grace sortit de l'ascenseur escortée par le directeur de la publicité de la Metro Goldwyn Mayer pour l'Europe, M. Lapinère. Elle n'était plus la jeune fille détendue, gaie, facile du matin dans le train. Elle était submergée, déjà, par l'avalanche des réceptions, des cocktail-parties, des présentations de films et des conférences de presse qui allaient être le tissu de sa vie pendant ces quelques jours à Cannes.

A peine fut-elle dans le hall de l'hôtel Carlton, cette foire aux films, qu'elle fut assiégée par une meute de journalistes, de curieux, de chasseurs d'autographes; j'eus beaucoup de mal à parvenir jusqu'à elle. La police, les gendarmes, demandés en renfort, s'efforçaient de la protéger. Je me suis mis à crier, pour qu'elle puisse entendre malgré le tumulte du hall: «Nous avons rendez-vous demain à 4 heures avec le prince.»

Elle me répondit, à demi tournée vers moi, happée par mille bras : «Impossible, à 5 heures et demie je dois me trouver au casino de Cannes pour la réception officielle de la délégation américaine que je préside.»

Je tentai de lui expliquer qu'elle ne pouvait refuser l'audience d'un prince souverain. Je n'en eus point le temps. Elle était déjà partie, enlevée plutôt.

Tout allait mal. Il fallait poursuivre coûte que coûte. Je téléphonai à M. Ballerio pour lui faire part du contretemps, lui expliquant que ce jour-là Grace Kelly devait présider, à peu près à la même heure, la réception officielle de la délégation américaine. Serait-il possible d'avancer le rendez-vous d'une heure ?

Cinq minutes plus tard, M. Ballerio m'appela : «Son Altesse doit déjeuner avec des amis dans sa résidence privée de Beaulieu, la villa Iberia, mais il fera l'impossible pour se trouver au palais aux alentours de 3 heures.»

Le vendredi 6 mai, à 13 h 30, deux photographes de «Paris-Match», Michel Simon et Ed Quinn, Jean-Paul Ollivier et moi-même, montions la garde dans le hall du Carlton, face à l'ascenseur. Ving fois la porte s'ouvrit, vingt fois nous fûmes déçus. Nous commencions à désespérer, lorsque Grace parut, suivie de la fidèle Gladys et de M. Lapinère.

Elle portait une robe en satin noir imprimée de grosses fleurs roses et vertes. Elle avait mis ses gants blancs courts et relevé ses cheveux. Nous courûmes tous jusqu'au perron. Soudain je dis : «Grace, il faut mettre un chapeau !» Elle n'en avait pas dans ses bagages. En acheter un, il ne fallait pas y songer, toutes les boutiques étaient fermées à cette heure de la journée. Gladys sauva heureusement la situation. Elle se souvint que Grace avait une sorte de tiare en fleurs artificielles. Elle courut la chercher et tant bien que mal, au milieu d'une foule amusée, confectionna un semblant de coiffure.

Pour ne pas trop attirer l'attention de la nuée de confrères et de photographes qui nous guettait, Grace, Gladys et moi sortîmes avec M. Lapinère par une porte dérobée, côté cour de l'hôtel pour nous engouffrer enfin dans la Studebaker toute neuve du représentant de la Metro. Ollivier et Michel Simon montèrent dans la Peugeot de Quinn.

Il était 13 h 45. La course contre la montre allait commencer. Nous devions arriver à Monaco avant 15 heures et nous aurions à parcourir cinquante kilomètres d'une route sinueuse et encombrée. A la sortie de Cannes, pour éviter une voiture venant en sens inverse, M. Lapinère donna un coup de frein brutal. Quinn, craignant de se faire distancer par notre voiture et de nous perdre, la suivait de trop près. Il n'eut pas le temps de s'arrêter. Ce fut le choc. M. Lapinère bondit pour constater les dégâts. A cet instant la dynastie des Grimaldi n'était-elle pas à la merci de l'aile arrière de la Studebaker ? Fort heureusement les dégâts se limitèrent à quelques éraflures sur le vernis de la voiture. Mais nous venions de perdre un temps précieux.

Seule Grace, lointaine, garda son sang-froid, du moins en apparence. Elle parlait peu, regardant le paysage. M. Lapinère, de mauvaise humeur, pensait à l'éraflure de son aile. Gladys et moi mourions de faim. A 14 h 55 nous arrivions enfin dans la principauté. Aucun de nous n'avait déjeuné. Grace, impassible mais fort pâle, aurait volontiers mangé un sandwich.

Nous nous arrêtâmes à l'hôtel de Paris où je commandai quelques sandwiches au jambon. Pendant qu'on les préparait, j'allai jeter un coup d'œil du côté du palais, qui domine le port. Au sommet de la tour principale le pavillon des Grimaldi venait d'être hissé. Cet emblême tout blanc prit soudain les sombres couleurs de la catastrophe. Au bout de sa hampe, flottant à la brise, il signifiait que S.A.S. le prince Rainier était déjà arrivé. Nous faisions donc attendre le prince régnant à qui, en outre, nous avions demandé de venir une heure plus tôt.

En courant, je traversai le bar, attrapai au passage un sandwich que Grace, toujours aussi calme en apparence, réussit à manger.

A la porte de la demeure princière, un garde nous accueillit et nous annonça au commandant du palais, le colonel Séverac, premier aide de camp. Il s'avança et nous rassura. Son Altesse venait de téléphoner qu'Elle quittait sa villa de Beaulieu, et c'était la raison pour laquelle le pavillon avait été hissé. Ouf! nous pouvions respirer. Nous eûmes même le temps d'entreprendre la visite du palais, sous la conduite de Michel Demorizi, premier maître d'hôtel.

Nous traversâmes les grands appartements. Nous entrâmes dans le quartier royal où sont reçus les souverains étrangers et les chefs d'État. Un instant nous nous arrêtâmes dans la chambre d'York, ainsi nommée parce que le duc d'York, frère du roi d'Angleterre, faillit y mourir en 1767.

Pour la première fois Grace parut nerveuse, ou du moins montra sa nervosité. Elle fouilla dans son sac à main, sortant un petit miroir devant lequel elle poudra son nez.

Tout en maniant sa houppette, elle me demanda : « Comment faut-il appeler le prince ? Parle-t-il l'anglais ? Quel âge a-t-il ? » Elle prenait son rôle de « princesse du cinéma » très au sérieux. Elle se sentait maintenant en service commandé, en quelque sorte, comprenant toute la publicité de prestige qu'elle pouvait tirer de cette rencontre et ne voulant pas faire un faux pas. Nous passâmes ensuite dans les appartements privés de la famille souveraine, ceux que le public ne visite pas.

Le musée napoléonien retint tout particulièrement son attention. Elle admira, posé sur un coussin, le chapeau légendaire que le Petit Caporal portait à Marengo et un fragment du manteau dont Napoléon couvrit ses épaules le 2 décembre 1804, jour où le pape Pie VII le sacra empereur des Français. Grace fut également émue par une mèche de cheveux blonds coupée au front du roi de Rome, l'Aiglon.

Seul M. Lapinère ne semblait pas apprécier les charmes de ces souvenirs historiques. Il regardait plus souvent sa montre que les vitrines. Il songeait à la réception de la délégation américaine et, ne pouvant se permettre de faire attendre les personnalités du Festival, il menaçait de s'en aller.

Il était 3 h 55... Un garde arriva en éclaireur pour nous annoncer l'entrée du prince dans la cour d'honneur, au volant de sa voiture de sport, une Lancia. Il était à la fois flatté de recevoir une si jolie star et heureux de pouvoir servir sa principauté grâce à la publicité mondiale qui serait faite à cette charmante visite.

Une dernière fois, Grace Kelly répéta dans un coin sa révérence de cour. Peine perdue, car face au souverain elle ne fit que l'esquisser. Le sourire bon enfant de Rainier sembla la mettre tout de suite à l'aise. Il était lui-même confus, un peu intimidé sans doute. Il s'excusa d'être en retard sur l'horaire primitivement fixé par son secrétaire particulier. Grace le regarda longuement, intimidée elle aussi. Il lui demanda si elle voulait visiter le palais. Elle répondit qu'elle venait de le faire. Il l'emmena alors vers les jardins. Le prince baissait les yeux, regardait par terre. Le teint de Grace avait rosi. Rainier lui montra ses animaux sauvages, deux jeunes lions, des singes, un tigre que l'empereur Bao Daï venait de lui offrir. Tout à coup, sans comprendre pourquoi, nous nous sentîmes gênés, comme des témoins indiscrets. Les deux photographes présents continuaient à opérer. Mais Grace et Rainier semblaient être seuls au monde. Il passa un bras à travers les barreaux de la cage et

caressa le tigre qui montrait ses dents. L'expression du visage de Grace changea soudain. Elle n'était plus une invitée timide et bien élevée. Ses yeux écarquillés contemplaient ce jeune homme qui, avec un courage sans forfanterie, risquait une grave blessure.

Mais l'impitoyable M. Lapinère nous rappela l'heure, bousculant même le protocole. Il fallut partir. Dans la voiture nous ramenant à Cannes, Grace ne dit rien. Elle se contenta de murmurer : « Il est charmant, il est charmant. »

Mais, pour la première fois de sa carrière, Miss Kelly, la star la plus scrupuleuse de Hollywood, arriva à une réception officielle avec un certain retard. A Olivia elle confia, parlant du prince Rainier: «He is very, very charming!»

Le soir, comme une star bien disciplinée, elle assista à la projection d'un film, gardant, posées sur son nez, de grosses lunettes d'écaille qui firent la joie des photographes.

Le lendemain Grace prenait le train pour Paris et l'avion pour les États-Unis. Son bref passage au palais avait profondément impressionné et charmé Rainier. Le prince solitaire regardait fréquemment les photos prises lors de la trop brève rencontre... «Paris-Match» lui en avait adressé un jeu qu'il comptait emporter en croisière.

Mais le hasard allait modifier les projets du prince. Au mois de juillet, un oncle de Grace se trouvait en vacances à Cannes. Le Sporting-Club d'été de Monte-Carlo annonçait son premier gala de la saison. L'oncle voulait y assister mais la terrasse fleurie était déjà comble: toutes les tables étaient réservées. Il téléphona au palais princier, sachant que sa nièce avait été chaleureusement reçue par Rainier, lequel, sans tarder, lui fit donner pleine satisfaction: une table en bordure de piste, proche des tables officielles.

Quelques instants plus tard, Rainier fit appeler son chapelain, le révérend père Tucker, d'origine irlandaise comme les Kelly, et lui demanda d'aller à Cannes prendre contact avec cet oncle tombé du ciel. Le père Tucker avait pour mission d'annoncer que, dans quelques mois, le prince se rendrait aux États-Unis et qu'il serait particulièrement heureux de revoir Grace.

Le chapelain comprit aussitôt que son fils spirituel était amoureux. Grace Kelly étant d'une bonne famille catholique, rien ne pourrait un jour s'opposer à un projet de mariage.

Mais la principauté était à ce moment-là en crise, la Banque des métaux précieux avait fermé ses portes. De son côté le prince avait dû être précipitamment hospitalisé pour subir l'ablation de l'appendice, dans les plus mauvaises conditions.

D'autre part, depuis cinq ans, Rainier III était harcelé par ses conseillers, inquiets de voir le trône monégasque demeurer sans héritier ou héritière, car en vertu des accords passés entre la France et Monaco, la mort de Rainier, sans héritier, pouvait transformer la principauté en protectorat et astreindre les Monégasques au service militaire et à l'impôt.

Inlassablement, le prince répétait: «Mon mariage est une question personnelle.» A ses intimes il disait: «Je veux faire un mariage d'amour, je sais que cette question préoccupe tous mes sujets. Mais elle me préoccupe autant qu'eux, sinon plus !»

En septembre, le prince, remis de son opération, décida qu'il pouvait partir en croisière sur son yacht, le «Deo Juvante», pour aller voguer vers la Corse et la Sardaigne et se livrer à son sport favori, la pêche sous-marine. A bord on parla de Grace Kelly, mais pour commenter un film que le prince et une partie de ses marins avaient vu lors d'une escale dans le golfe d'Ajaccio.

Le 3 octobre, Rainier était de retour dans la principauté. Les dossiers s'étaient accumulés sur son bureau. Les élections communales et nationales suscitaient quelque effervescence. Souvent, le soir, le prince éprouvait le besoin d'oublier ses lourdes responsabilités. Tout seul, il se rendait à Nice, Cannes ou San Remo, car un cinéma y présentait un film dans lequel jouait Grace Kelly. Il avait vu ou revu ses films, passant de nombreuses soirées à l'admirer sur les écrans. Le père Tucker et quelques très rares familiers connaissaient maintenant les sentiments de Rainier.

Début décembre, dans les jours qui précédèrent son départ pour les États-Unis, le prince était rayonnant. Depuis longtemps ses collaborateurs ne lui avaient vu un visage aussi épanoui. De son côté, le père Tucker confiait à quelques amis: «J'espère le ramener fiancé. Il lui faudrait une jeune fille de bonne famille dans le genre et de la classe de Grace Kelly...»

Lorsqu'il quitta la principauté le prince emporta avec lui une bague faite d'un double anneau d'or, serti de diamants et de rubis, rappelant les couleurs monégasques, le rouge et le blanc. C'est au mois d'octobre qu'il avait passé commande de ce bijou à M. Balanche, joaillier monégasque et fournisseur attitré de la famille princière. Mais le prince n'avait à aucun moment parlé de bague de fiançailles. Néanmoins, la sœur de Rainier, la princesse Antoinette — qui en 1949 avait renoncé à ses droits en faveur de Rainier — savait que son frère se rendait aux États-Unis avec l'intention de demander la main de Grace Kelly. Elle fut informée des fiançailles quarante-huit heures avant l'annonce officielle. Elle était enchantée de ce choix bien qu'elle n'ait jamais vu sa future belle-sœur que sur les écrans de cinéma.

Le 6 janvier 1956, le dernier des princes charmants faisait à son peuple le plus beau et le plus souhaité des cadeaux: une princesse. Ce fut par un câble chiffré adressé à M. Paul Noghès, directeur du cabinet, que le jeune souverain annonça la nouvelle de ses fiançailles avec Grace Kelly. Une heure après, toute la principauté exultait. La nouvelle se répandit avec la rapidité de l'éclair. Dans les plus modestes ruelles les fenêtres s'ouvrirent spontanément. Les Monégasques pavoisaient. Radio Monte-Carlo suspendit le cours de ses émissions pour diffuser le texte bref du premier télégramme: «S.A.S. le prince Rainier III est heureuse d'annoncer ses fiançailles avec Miss Grace Kelly, fille de M. et de Mme John B. Kelly, de Philadelphie.»

La future princesse était née le 12 novembre 1929 à Philadelphie, dans l'État de Pennsylvanie. Son grand-père, John H. Kelly, avait débarqué aux États-Unis en 1867, fuyant l'Irlande lors de la terrible «famine des pommes de terre». Il travailla d'abord dans une usine de textile, puis devint conducteur de tramway avant de s'installer comme agent d'assurances à Philadelphie. Son fils, John B., le père de Grace, pensa surtout au sport et devint, en 1920, champion du monde d'aviron. Au bord d'une piscine il fut un jour ébloui par le superbe plongeon d'une certaine Margaret Hayes, mannequin et professeur de gymnastique, d'origine germanique. Il l'épousa en 1924 et avec l'aide de ses beaux-parents lança une affaire de briqueterie. Il ne tarda pas à devenir le «roi de la brique», acquérant ainsi ses lettres de noblesse à la force du poignet.

Après l'annonce officielle des fiançailles du prince de Monaco et de Grace Kelly, le portrait officiel de Rainier apparut dans toutes les vitrines de la principauté. Les asssemblées élues se réunirent pour exprimer leurs vœux et leur joie, expédiant plus de cent kilos de fleurs à la future princesse. Maître Louis Aureglia, président du Parlement monégasque, exprima le sentiment général: «Un prince heureux, c'est une principauté heureuse.»

Rainier III, que l'on désespérait de voir sortir de son célibat, n'avait fait partager son secret qu'à de très rares intimes. Mais ceux-là savaient que depuis quelques mois, le prince avait misé tout son bonheur sur la réponse de Grace. Dès Noël, il avait écrit un mot à chacun: «Je suis émerveillé.»

Grace Kelly allait régner dans un des plus beaux palais d'Europe. Les trésors du château, fabuleux, avaient été pillés au moment de la Révolution. Six cents tableaux de maîtres disparurent à jamais. Les princes avaient dû émigrer à Roquebrune et il avait fallu trois générations pour reconstituer le palais.

Le palais princier se compose de deux cent vingt pièces et de vingt salles de bains privées. Tous les services administratifs du prince sont dans le château. Il existe une très belle chapelle palatine où le prince et son personnel assistent à la messe dominicale. Une grande partie des locaux sont constitués par les salons officiels visités par les touristes. Le palais est formé de quatre bâtiments de trois étages disposés en carré. Au centre se trouve la vaste cour d'Honneur, pavée de galets blancs et noirs. Les façades sont peintes selon le style gênois: scènes mythologiques, triomphe de Bacchus, divinités de la mer.

Dans l'année qui suivit son avènement, Rainier avait fait aménager un appartement moderne pour son usage personnel. Cet appartement se compose d'un hall éclairé par des vitrines remplies de bibelots; d'un bar de style hollandais, décoré avec des maquettes de navires anciens et modernes; d'une salle à manger au sol de marbre comprenant une table ronde basse et de grands fauteuils modernes recouverts de tissus à rayures vertes; d'un salon et d'un bureau également modernes. Le meuble principal sur lequel Rainier travaille permet de tout cacher, y compris le téléphone. Le bureau possède plusieurs fermetures secrètes. La chambre, très spacieuse, est dotée d'une grande baie vitrée donnant accès aux jardins privés. La pièce est meublée simplement. Le lit, capitonné, est dominé par un crucifix. De larges portes coulissantes permettent d'accéder à la salle de bains en marbre. La baignoire a la forme d'une piscine. Elle est à même le sol, dans le style des baignoires romaines. Dans le palais se trouve également un garage où sont rangées les voitures du prince, grand amateur de sport automobile.

Au mois de février 1956, lorsque Rainier revint en France, j'allai à sa rencontre sur le bateau faisant escale à Southampton. En me voyant, le prince, s'avançant sur le pont promenade, leva les bras et s'écria, joyeux: «Ah! voici Monsieur Cupidon!»

Vers la mi-avril, Grace Kelly, à bord du paquebot «Constitution», voguait vers Monaco qui lui préparait un accueil triomphal... Les deux amoureux, qui six mois plus tôt s'embrassaient à Philadelphie, allaient bientôt être réunis pour la vie.

Les 18 et 19 avril furent pour la principauté une grande fête nationale, et sans doute un peu plus encore car les réjouissances s'étalèrent sur toute une semaine. Elles débutèrent le 12 avril avec l'arrivée en rade de Monaco du paquebot américain. Tandis que le bâtiment jetait l'ancre, une nuée d'embarcations sorties de tous les ports et marinas de la Côte d'Azur vinrent lui faire escorte. Elles s'écartèrent pour laisser la place au «Deo Juvante», le yacht princier sorti du port de Monaco sous l'escorte pavoisée de tous les bateaux en état de prendre la mer.

Rainier, dirigeant lui-même la manœuvre, vint se ranger contre le flanc du paquebot, dont une vedette faisait office de ponton. Les passerelles mises en place, Grace Kelly parut à la coupée, vêtue d'une robe de soie bleu marine à col blanc, coiffée d'une capeline blanche, son caniche noir Oliver dans les bras. Au moment où elle quittait le «Constitution» pour le «Deo Juvante» — moment symbolique puisque selon le droit maritime elle laissait le territoire des États-Unis pour celui de Monaco — on vit, volant à basse altitude dans le ciel bleu, l'hydravion d'Onassis qui fit tomber une pluie d'œillets rouges et blancs.

Le retour à quai fut salué par un étourdissant concert de sirènes, vite dominé par une salve de vingt et un coups de canon. Partout, sur les bateaux, dans les rues, les ruelles, sur les places, aux fenêtres des maisons se mêlaient drapeaux monégasques et américains. Une immense foule se pressait autour du débarcadère, dans l'espoir d'apercevoir celle qu'elle appelait déjà «sa» princesse, tandis que du pont du «Christina», le yacht d'Aristote Onassis, montaient les fusées d'un feu d'artifice.

Le mercredi 18 avril, à 11 heures précises, le mariage civil était célébré dans la salle du Trône. S.A.S. la princesse Antoinette et Mrs. Margaret Davis, la sœur aînée de Grace, furent les témoins de celle qui, dès cette minute, devenait princesse de Monaco. Le comte Charles de Polignac, le colonel Jean-Marie Ardant et Mr. John Brendan Kelly paraphaient les pièces officielles pour le prince souverain. M. François Mitterrand, ministre de l'Intérieur à l'époque, représentait la France.

Le lendemain, dans la cathédrale tapissée de fleurs, Leurs Altesses Sérénissimes recevaient la bénédiction nuptiale au cours de la cérémonie célébrée par Mgr Barthes, évêque de Monaco. Mgr Marella, représentant personnel de S.S. le pape Pie XII, exprima ses vœux en ces termes: «Tout nous autorise à présumer pour votre foyer un avenir heureux. Ce dont bénéficieront non seulement vos deux augustes personnes mais encore le peuple confié à votre sollicitude.»

Ces mots, avec le temps, prirent leur poids de sereine réalité. Avec les naissances de la princesse Caroline, Louise, Marguerite, le 23 janvier

1957, puis du prince héritier Albert, Alexandre, Louis, marquis des Baux, le 14 mars 1958, et enfin de la princesse Stéphanie, Marie, Elizabeth, le 1ᵉʳ février 1965, la famille princière assurait l'avenir de l'une des dynasties les plus anciennes du monde. Chaque foyer à Monaco, en France, en Europe, en Amérique, partout à travers le monde, se sentait un peu le témoin ému, tant il est vrai que les belles histoires d'amour franchissent toujours les murs de l'indifférence. Grace allait se consacrer à ce nouveau double rôle: celui de princesse et de mère de famille. «Le succès n'a jamais vraiment pesé sur moi», disait-elle, j'ai toujours su que je me marierais et que, ce jour-là, j'abandonnerais mon métier. Un mari et des enfants, ont toujours eu plus de sens que tout dans ma vie.» Cela ne l'empêcha pas de tenir son rôle de S.A.S. la princesse Grace de Monaco: bals de charité, inaugurations de musées, aide aux enfants handicapés, à la Croix-Rouge. Ni de peindre, dessiner, enregistrer des poèmes pour les enfants.

Au printemps dernier, à l'occasion du concours international de bouquets, qu'elle avait elle-même créé, elle était photographiée parmi les roses, ses fleurs préférées. Quelques jours plus tard elle partait pour la Californie pour assister au conseil d'administration de la 20th Century Fox, dont elle faisait partie. Elle profita de ce séjour pour aller consulter son astrologue, Carroll Righter, à Bel Air. C'était le 22 avril.

Et puis, le lundi 15 septembre survint le drame sur cette route étroite, sinueuse, escarpée, route qu'elle appréhendait et dont elle avait dit en confidence à une amie: «Elle me fait peur, très peur pour mes enfants.» Mais qui n'avait été jusque-là que la route du bonheur. Entre le palais et la propriété familiale, sur les hauteurs de la Turbie, le plus beau conte de fées des temps modernes s'est achevé dans la tragédie. Celle qui avait séduit et charmé la terre entière n'est plus de ce monde.

Elle repose désormais dans l'abside de la cathédrale de Monaco, derrière le maître-autel, dans la «chapelle des Princes».

La « princesse » d'Hollywood

Après avoir été «top model» à New York et avoir fait de la télévision,
Grace débuta à l'écran avec un petit rôle dans «Fourteen hours»
(«Quatorze Heures»), de Henry Hathaway, en 1951.
Elle s'imposa l'année suivante dans «High noon» («Le train
sifflera trois fois») de Fred Zinneman.

*A droite, dans « Le train sifflera trois fois », jeune femme timide et réservée,
dans les bras de son époux, Gary Cooper, un shérif de village.*

Dans «High Society» («Haute Société»), tourné en 1956, avec Bing Crosby, Frank Sinatra et Louis Armstrong.

En 1954, elle tourne « Fenêtre sur cour » d'Alfred Hitchcock.
Elle est seconde au générique, après l'un des géants d'Hollywood, James Stewart.
Hitchcock utilisa surtout son visage régulier, pur et angélique.
Elle tourna pour lui deux autres films,
« Le crime était presque parfait » et « la Main au collet ».

A gauche avec Gary Cooper, Grace incarne la douceur dans « Le train sifflera trois fois »,
film où claquent les coups de revolver.
Un couple presque parfait : avec Cary Grant, dans « la Main au collet »,
tourné en 1955, sur la Côte d'Azur.
Mettons fin à une légende quelquefois reprise par la presse :
ce n'est pas en cette circonstance qu'elle rencontra le prince Rainier.
Grace elle-même avait rétabli la vérité.

Le mariage

Jeudi 19 avril, 10 h 58, Mgr Barthes prononce les phrases rituelles :
«Rainier, Louis, Henri, Maxence, Bertrand
voulez-vous prendre pour légitime épouse Grace, Patricia ici présente,
selon le rite de notre Mère la Sainte Église ?»
«Oui, Monseigneur.»
S'adressant à S.A.S. la Princesse Mgr Barthes demande :
«Grace, Patricia, voulez-vous prendre pour légitime époux
Rainier, Louis, Henri, Maxence, Bertrand, ici présent,
selon le rite de notre Mère la Sainte Église ?»
«Oui, Monseigneur.»

Déclarés unis par le mariage, les époux princiers
échangent les alliances bénies et signent les registres de l'église.

*Le prince et la princesse de Monaco ont quitté le chœur et se dirigent lentement
vers la grande porte de la cathédrale.
Tout le long du parcours qui les conduit jusqu'à l'église Sainte-Dévote,
où la princesse va déposer son bouquet de muguet, en offrande à la patronne de Monaco,
la foule les acclame avec enthousiasme. Lorsque les jeunes époux apparaissent à une fenêtre du palais,
ils font l'objet d'une longue ovation. A 13 heures un déjeuner-buffet est offert
dans la cour d'Honneur à plus de sept cents invités. Dans l'après-midi Grace et Rainier
s'embarquent sur le « Deo Juvante » pour leur croisière de noces.*

Le bonheur en famille

Grace avait coutume de dire: «Je suis moins une princesse
que l'épouse d'un merveilleux mari et la mère de ses enfants.
Le plus beau jour de ma vie fut sans aucun doute celui
de la naissance de Caroline, notre premier enfant. C'est à ce moment-là
que j'ai décidé d'abandonner le cinéma.»

*Ci-dessus: Grace de Monaco avec le prince Albert, marquis de Baux, prince héritier,
à bord du yacht princier «Deo Juvante».*

Naissance et baptême de Stéphanie.

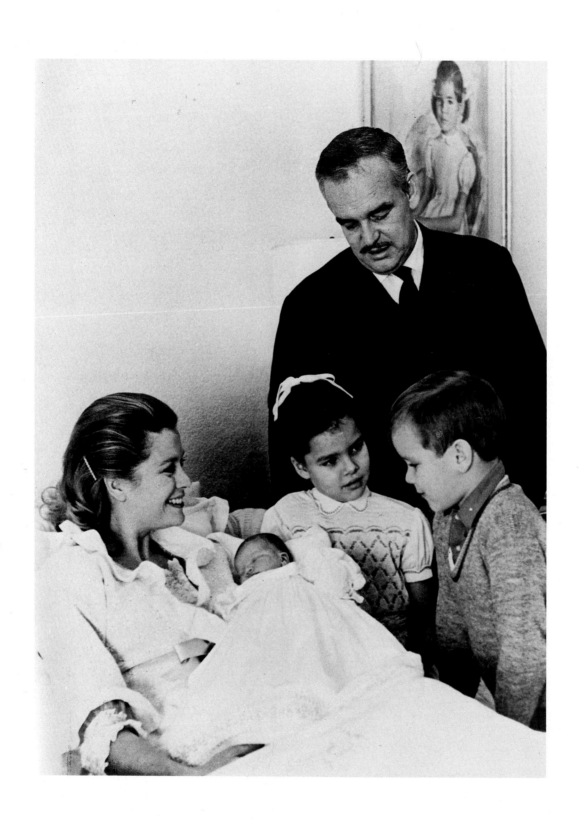

Devenue l'une des femmes les plus titrées du monde par le hasard de circonstances extraordinaires,
Grace a un métier : princesse, mais une véritable vocation : mère.
Au Sporting Club d'Hiver de Monte-Carlo, vernissage de l'exposition du peintre Vidal-Cuadras.
La princesse s'arrête devant son portrait, avec ses deux enfants, peint en 1964.

« Mes problèmes sont ceux d'innombrables mères de famille qui ont une activité professionnelle,
disait-elle. Il faut partager sa journée en fonction de cette vie familiale
et des autres tâches. J'ai la chance d'être aidée par une gouvernante.
Mais il faut que je m'occupe d'organiser la vie de mes enfants.
Je supervise les leçons et les devoirs de Caroline. Il m'arrive de rencontrer des difficultés
avec les mathématiques. Je peux difficilement la suivre. »

Noël était pour « Little Gracie », comme on l'appelait chez elle, un symbole de joie
et aussi un peu de tristesse. Elle aimait tellement les arbres qu'elle déplorait de voir couper les sapins,
même pour permettre à « Santa Claus », ou au père Noël, d'y accrocher des cadeaux.
Son Noël le plus émouvant fut celui de 1955, alors qu'elle avait vingt-six ans.
Le prince Rainier lui avait adressé ce message :
« Que cette fête, qui est celle de l'espérance, ait pour vous, comme elle a pour moi,
cette signification profonde de confiance en l'avenir de la principauté. »

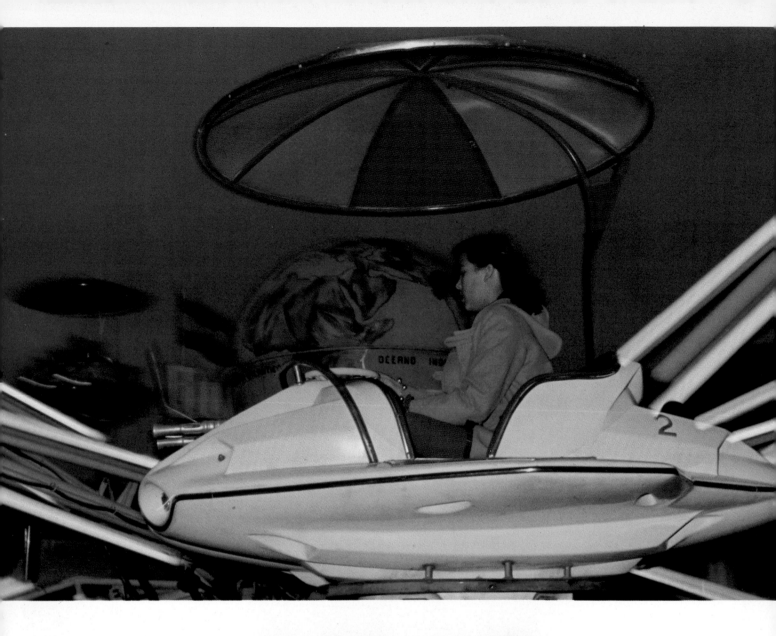

Le cirque : la joie des enfants, le bonheur des parents. Rainier a une passion pour les gens du cirque.
Chaque année, au mois de décembre, se déroule à Monte-Carlo
le festival mondial du Cirque, dont Cary Grant était un fidèle habitué.

« J'aurais aimé que Monaco devienne la capitale de l'art. »
Cette ambition de la princesse se manifestait à l'occasion de rencontres et de spectacles
auxquels participaient ses amis. Ci-dessus, Ingrid Bergman.

Petit mystère dans le monde de l'art : qui se cache derrière les initiales G.P.K.
placées au bas de compositions florales ? A la galerie Drouant, faubourg Saint-Honoré,
le secret a été bien gardé. Seuls quelques amis savaient que derrière
ces initiales se cachait la princesse de Monaco. Ses tableaux de fleurs séchées ont révélé sa passion
pour les fleurs. Experte internationale en art floral, créatrice du « Garden Club » de Monaco,
elle fit publier aux États-Unis son « Livre des fleurs ».
« Les circonstances ont fait, disait-elle, que toute ma vie j'ai été entourée de fleurs. »

Chaque année, la famille réunie partait pour Schœnried, près de Gstaad, en Suisse:
« Dans notre chalet, sans protocole, sans toilettes, ni galas,
nous nous consacrons aux balades dans la neige.
Caroline et Albert sont des champions dans cette discipline. »

Grace joua pour la première fois la comédie dans son couvent «les Sœurs de l'Assomption»,
ordre français de Raven Hill, à Philadelphie. C'était à l'occasion
d'une pièce donnée pour Noël. C'est à ce moment-là qu'elle décida de devenir actrice.
«J'avais eu toutes sortes d'ambitions, qui allaient de l'infirmière à la danseuse.»
Mais cette dernière dura et elle fut assez forte pour vaincre la timidité de son adolescence.
Après la danse, elle entra à la « Old Academy Players » de Philadelphie
et elle n'avait que onze ans lors de sa première apparition en public.
Comme sa mère, Caroline a étudié la danse.

« Voir des journalistes traquer des enfants pour des photos et inventer des histoires à leur sujet
a toujours été pour nous, leurs parents, un grand problème.
Les efforts pour empêcher cela sont souvent, hélas, une bataille perdue. »
Où qu'elle fût, Grace adorait marcher tous les jours, rapidement
et si possible accompagnée de ses enfants.

Grace adorait flâner sur les marchés comme toutes les ménagères.
Espérant ne pas être reconnue, elle portait toujours des lunettes noires. « La princesse est libre,
faisait-elle remarquer avec humour, mais elle laisse peu de liberté. »

« Je ne suis jamais disposée à parler de la vie ou des erreurs que mes enfants peuvent faire ou ont pu faire.
Lorsqu'on me demande, que pensez-vous de l'échec du mariage
de Caroline avec Philippe Junot, je réponds :
je n'ai rien à dire. Bien entendu j'aimerais la voir se remarier un jour,
avoir des enfants et mener une vie de famille heureuse comme celle que j'ai eue.
Mais cela c'est pour l'avenir… »

La princesse adorait ses filles et ne savait parler d'elles modestement :
« Caroline est peut-être plus littéraire, Stéphanie plus portée vers les mathématiques.
Mais toutes deux sont chaleureuses, brillantes, amusantes, intelligentes, douées.
Mes filles ont avant tout de la classe et n'oublient jamais d'être attentives aux autres. »

Lors du dernier interview qu'elle donna à Salinger en juillet 1982 la princesse Grace,
parlant étrangement de sa mort, confia : « Si je devais me réincarner,
j'aimerais être l'un de mes chiens. Je crois qu'ils ont eu une vie douce, drôle... et facile. »

Parlant du prince Albert, Grace disait : « Il n'a jamais voulu aucun traitement préférentiel,
mais évidemment il n'est pas comme tout le monde. On exige davantage de lui
et tous les yeux sont tournés vers lui dans l'attente
qu'il commette un faux pas. C'est un garçon gentil. Il donne sa confiance.
Il est doux de nature. C'est regrettable d'avoir à l'inciter à rester sur ses gardes.
Le prince Charles d'Angleterre était comme lui.
J'espère, en tout cas, qu'il épousera la meilleure fille du monde.
La vie ne sera pas facile pour elle. Elle devra avoir les pieds sur terre,
s'adapter et être intelligente. »

Grace embrasse sa fille Stéphanie. C'est à l'occasion du dernier tournoi de tennis de Monte-Carlo.
La tendresse d'une mère pour son plus jeune enfant.

La princesse Grace était particulièrement fière de l'orchestre de la principauté et
organisait conférences et manifestations artistiques de toutes sortes.
Le prince Rainier avait conclu : « C'est mon ministre de la Culture, des Loisirs,
de la Santé, de la Jeunesse et de la Solidarité. »

Princesse et ambassadrice de charme

Chaque apparition de la princesse Grace déplaçait une foule
de journalistes et le Jet Set au complet
se pressait autour d'elle. Une réception donnée en son honneur,
ou sa seule présence à un bal, suffisait à transformer le plus petit cocktail
en un événement. Sa beauté angélique et sa joie de vivre
séduisaient, fascinaient... Elle avait ce charme mystérieux capable
de traverser le temps et les époques sans jamais perdre
de sa clarté. Tous ceux qui l'on connue ou approchée ont dit:
«C'est une grande dame.»

La princesse Grace a été une grande dame que les couturiers les plus célèbres ont aimé habiller.
Elle savait porter le plus sobre des chemisiers accompagné
d'une robe droite avec la même décontraction et distinction que les robes les plus sophistiquées.

Dans les premiers temps de sa vie de princesse, Grace se comportait parfois avec une maladresse charmante.
En quelques mois, elle avait appris son rôle officiel et son attitude en public
n'eut été plus parfaite si elle avait dès son enfance été formée aux disciplines de la Cour.

La princesse Grace tenait à ce que ses enfants soient présents à ses côtés aussi souvent que possible.
Les premières sorties officielles de Caroline ne se firent pas sans quelques timidités :
« A côté de maman, j'ai toujours l'air d'un souillon. Au bout d'une heure j'ai les vêtements froissés,
le nez qui brille ; maman, elle, reste impeccable dans toutes les situations.
Elle a une classe innée. »

La princesse Grace et Caroline lors du 31ᵉ bal de la Croix-Rouge.
Ce bal — depuis vingt et une années le grand événement de la vie monégasque — symbolisait
le prestige de la principauté. Cette année-là, Stéphanie devait y faire
sa première sortie officielle dans le monde, mais un accident de vélomoteur sans gravité
la retint au palais. En août 82, et pour la dernière fois, la princesse Grace
ouvrit le bal au côté de ses trois enfants, Caroline, Albert et Stéphanie.

Grace étonnait. Elle était restée une grande actrice, capable de s'adapter à tous les styles, à toutes les époques.

*L'image du bonheur : « Le vrai bonheur, c'est mener une vie de famille heureuse.
Mon mari est un bon père. Il s'intéresse à ses enfants. Comme tous les pères, il est parfois trop sévère,
parfois trop indulgent. »*

La princesse Grace de Monaco, coiffée par Alexandre (à droite),
avait fait une entrée spectaculaire lors du 100ᵉ anniversaire du casino de Monte-Carlo.

Lorsque je m'appelais encore Grace Kelly, ma vie privée m'appartenait.
Après mon mariage, ma vie privée est devenue publique.

Ci-dessus, en compagnie de James Stewart, à Philadelphie, lors d'une soirée donnée en son honneur...
A droite, Gregory Peck et sa jeune épouse, Véronique Passani,
qui fut journaliste à « Paris-Presse ». C'est au cours d'une interview qu'elle le rencontra.
En haut: la princesse Grace et Ingrid Bergman qui, curieusement, ne s'étaient
jamais rencontrées avant 1971.

Avec Gaston Palewski.

Le couple princier en compagnie de Michèle Morgan.

A la descente d'avion, lors de la visite qu'elle fit au pape Jean XXIII et au président Giovanni Gronchi.

La photo officielle de sa visite en Italie. Le président Gronchi, sa femme et le couple princier.

La princesse Grace signant le livre d'or de la Ville de Paris à l'Hôtel de Ville, le 4 octobre 1959.

Du général de Gaulle, elle disait :
« C'était un homme profond et intéressant.
Jamais nous ne parlions politique.
Je l'aimais beaucoup. »

96

*Frank Sinatra, l'ami toujours fidèle et toujours présent aux galas de bienfaisance
organisés par la princesse Grace, symbolisait le Tout-Hollywood
aux rendez-vous de l'ex-star.*

« Toutes les personnes chargées de responsabilités ont besoin de détermination,
de courage et d'énergie, ce dont Albert est parfaitement capable.
Je suis à peu près certaine qu'il saura être un gouvernant aussi sage et bon que son père. »

Sur les marches de la cathédrale de Monaco.

Très catholique et pratiquant, le couple princier avait été reçu en audience privée au Vatican en 1978.

Le chagrin

Le samedi 18 septembre 1982 restera dans les mémoires
le jour le plus triste de l'histoire de la principauté, le jour où l'on enterra
la princesse Grace, décédée des suites d'un accident de voiture.
Les témoins rapportent: la voiture, une Rover 3500
de couleur marron, a quitté la route sur la départementale
sans qu'un seul coup de frein n'ait été donné,
elle a plongé dans le vide et s'est immobilisée 40 mètres plus bas
contre un pylône de ciment. A l'intérieur, il y avait la princesse
et sa fille Stéphanie. Elles revenaient de leur propriété
de Roc Agel, à quelques kilomètres de Monaco.

Tous ont perdu une grande amie, Cary Grant, Sam Spiegel, Nancy Reagan,
qu'elle avait aidée lorsqu'elles étaient encore toutes deux actrices,
Lady Di, le prince Albert de Liège et la princesse Paola, l'ex-impératrice Farah Diba, Karin Aga Kan.

« Mon mari avait décidé de faire de moi une véritable princesse.
Et il l'a fait avec beaucoup de patience.
Avec une grande compréhension, il m'a montré le chemin.
C'est à mon mari que je dois d'être devenue Grace de Monaco
et je l'en remercie. Car je suis allée plus loin
en tant que princesse qu'en tant qu'actrice. »

*Les photographies de cet album
sont de l'agence Gamma
sauf : p. 6 - 13 - 14 - 23 (collection Pierre Galante),
p. 73 - 84 - 85 - 101 (SIPA).*

*Documentation consultée :
« Nice-Matin », « Paris-Match »,
archives Jean-Paul Ollivier.*

Maquette de Benoît Nacci.

Imprimé en France par
BRODARD GRAPHIQUE – Coulommiers-Paris
HA/4521/2
Dépôt légal n° 5619-10-1982

I.S.B.N. 2.85.108317.1

34/0477/9
82-IX